MW00411976

École Le Mascaret
50 promenade Léopold F. Belliveau
Moncton, N.-B. E1A 8V3

Le roi du jazz

Alain Gerber

Le roi du jazz

BAYARD JEUNESSE

© Bayard Éditions, magazine *Je Bouquine* 1994
© Bayard Éditions Jeunesse, 2002
© Bayard Éditions Jeunesse, 2005, pour la présente édition
3, rue Bayard, 75008 Paris
ISBN: 2-7470-1968-3
Dépôt légal: septembre 2002
Cinquième édition

Chapitre 1

La dame en blanc

Je m'appelle Leon Randolph Jackson. J'ai onze ans. Je suis noir et je suis bleu[1].

Noir, c'est ma couleur du dessus : la couleur de ma peau. Bleu, c'est ma couleur du dedans. Chez nous à La Nouvelle-Orléans, en bas de l'Amérique, on ne dit pas qu'on

---

1. Aux États-Unis, on dit : «I am blue» (mot à mot : «Je suis bleu»), cela veut dire : «J'ai le cafard.»

est triste, on dit qu'on est bleu. Et si quelqu'un vous raconte qu'il a les bleus, alors soyez chic avec lui, parce que ça signifie qu'il a le cafard.

Oh! bien sûr, je ne suis pas bleu tout le temps. L'âme, c'est comme un caméléon : ça change de couleur à tout bout de champ. Ma mère dit souvent que la vie vous en fait voir de toutes les couleurs. L'âme est capable de prendre l'une après l'autre chacune des couleurs de la vie. Parfois plusieurs à la fois. Ça peut faire un joli tableau quand le mélange est réussi...

Mais là, devant la vitrine du « Steve's Musicstore », le magasin d'instruments de musique du quartier, je me sens bleu pur, bleu-bleu. Je serais même bleu foncé si l'âme de mon copain Noel n'était de la même couleur que la mienne. Vous aurez remarqué que Noel et Leon, c'est le même mot, une fois à l'endroit, une fois à l'envers. Avec notre passion pour la musique et notre amitié, c'est tout ce qu'on a de commun, lui et moi.

Par exemple, les grands-parents de Noel – la vieille Mme Martha Beider et son mari, qui fait encore l'horloger au coin de Canal Street –, ils ont habité l'Allemagne autrefois.

Mes grands-parents à moi sont enterrés depuis longtemps. Je ne les ai pas connus, en fait. M'man m'a dit un jour qu'ils étaient venus d'Afrique. M'man ne me mentirait pas, mais j'ai quand même du mal à y croire. C'est tellement loin, l'Afrique. Il y a tellement d'eau à traverser... Là-bas, il paraît qu'on voit le soleil tous les jours, et jamais d'hiver : alors pourquoi auraient-ils fait tout ce chemin si c'était pour être moins bien qu'avant ? M'man me répond : « Chéri à moi, tu vas me donner les bleus, avec tes sacrées questions ! Si tu nous servais plutôt un bon verre de limonade ? »

Donc, nous voilà devant chez Steve, Noel Beider et moi. Même quand on oublie de se donner rendez-vous, c'est là qu'on se retrouve tous les jours, y compris le dimanche, où la boutique est fermée. Mais un cadenas sur la porte, ça n'a jamais empêché personne de lorgner l'étalage.

On a chacun une fesse sur la borne d'incendie qui est au bord du trottoir, juste devant la vitrine, et on lorgne, on lorgne ; on lorgne comme si on nous avait payés pour ça !

J'ai entendu des histoires où quelqu'un, dans la jungle, est hypnotisé par un serpent. Noel et moi, on est hypnotisés par un cornet à pistons, une sorte de trompette encore plus enroulée sur elle-même que les serpents.

Steve l'a installé sur un morceau de velours rouge, au beau milieu d'un tas d'autres affaires qu'on ne voit même pas, et il brille, doucement, comme si la lumière venait de l'intérieur, comme si c'était la couleur de son âme qui remontait à la surface. Parce que nous savons une chose, un secret que je peux bien vous confier : c'est que les cornets à pistons ont une âme. Et ça rend bleu, quand on y songe. Les choses qui ont une âme, elles ne devraient pas être enfermées dans des devantures, non ?

Notre cornet, on pourrait le contempler durant des heures. On continue de le voir si on ferme les yeux. En lui tournant le dos, on serait capables de le dessiner et pourtant, avec toutes ses courbes, ses boucles, ses espèces de nœuds, c'est drôlement tarabiscoté, un cornet à pistons !

Noel Beider me dit :

— Quand je serai chef d'orchestre, je ferai danser les gens du haut de la ville et mon nom sur l'affiche, ce sera : Sir Lafayette de Beider Dupré-Beauchamps.

Chaque jour, le sacré nom est un peu plus long que la veille ! Alors, pour ne pas être en reste, je réponds du tac au tac :

— Quand je serai le meilleur joueur de cornet sur la terre, il y aura une fille qui me tiendra mon chapeau et une autre qui me tiendra mes gants et une autre qui portera l'étui, et je n'aurai pas besoin d'un nom parce que même en Afrique, tout le monde me connaîtra.

Mon copain hoche la tête.

— Celle qui portera ton culot, dit-il, il faudra qu'elle ait de fameux biceps.

On rit si fort, tous les deux, qu'on manque de s'étaler par terre... Nous n'oublions jamais de rire. Ça ne veut pas dire que nous cessons d'être bleus, mais au moins, on réussit à vivre avec...

Tout au fond du cœur, on reste bleus parce qu'il y a cette vitre entre le cornet à pistons et nous. Ce n'est qu'un morceau de verre, un caillou bien placé suffirait à la réduire en miettes, mais, d'une certaine façon, c'est une barrière aussi infranchissable qu'une muraille de pierre qui arrête les boulets de canon.

Pour Noel comme pour moi, il n'existe que deux façons de l'abattre. Première solution : le caillou dont je viens de parler. Mais nous ne sommes pas des brigands et d'ailleurs, à onze ans, on ne va pas très loin avec un cornet doré quand la police vous court après ! L'agent Alcide Pavageau, qui a toujours l'œil sur nous, nous rattraperait vite fait. Deuxième solution : les douze dollars vingt-cinq que Steve réclame pour l'instrument. C'est écrit sur un petit rectangle blanc posé contre le velours. En principe, je ne sais pas lire – les Blancs de La Nouvelle-Orléans préfèrent ça – mais, pour les chiffres, et surtout les prix des choses, je n'ai pas besoin de demander à Noel. Où irais-je trouver douze dollars et vingt-cinq cents, voulez-vous me le dire ? Ma mère ne gagne pas autant en un mois avec ses ménages. Même pour un Blanc comme mon copain, ça ne paraît pas possible.

Imaginons qu'on aille en courses pour celui-ci et pour celle-là (ce ne sont pas les paresseux qui manquent dans le quartier), qu'on aide le marchand de charbon à livrer ses sacs, qu'on attire les passants par la manche au Café Paradis, comme on l'a déjà fait : que se passera-t-il ? On mangera gratis un beignet ou une crème glacée. On recevra des petits cadeaux. Le dimanche, on aura le droit d'assister en coulisse au spectacle du Café Paradis. (C'est ce qui peut nous arriver de mieux : celui qui joue du cornet dans l'orchestre, il est plus noir que moi et c'est un vrai champion !) Mais quant à récupérer la moindre piécette : autant essayer de décrocher les étoiles pour se les mettre dans la poche ! Les piécettes, les gens du coin n'en ont déjà pas trop pour eux, alors, bien sûr, ils préfèrent les garder – mettez-vous à leur place. Au train où vont les choses, et à condition de placer nos économies en commun, Noel a calculé qu'on pourrait se payer le cornet à pistons dans six ou sept ans. D'ici là, un riche l'aura acheté pour le suspendre à son mur ou l'offrir à un de ces petits messieurs en culotte de soie, trop gourde pour deviner par quel côté on souffle dedans si trois professeurs en chapeau haut-de-forme ne le lui fourrent dans le crâne.

– Hé ! Noel, foutu galopin, tu n'as pas encore appris que ça déteint, les moricauds ? Est-ce que ta tante sait seulement ce que tu fabriques, ce coup-ci !

Ça, c'est la vilaine grosse voix d'Alcide Pavageau. On dirait toujours qu'il mâche de la sciure de bois. Il ne peut pas nous laisser une minute tranquilles. À croire que le maire en personne lui a confié la mission d'être sur notre dos et de nous corner aux oreilles. Moi, il ne peut pas me sentir. Au sens propre ! Il dit que la peau noire dégage une odeur de vache crevée. Noel, j'ai l'impression qu'il ne l'aime pas trop non plus, mais il n'ose pas s'en vanter parce que, m'a dit M'man, il a dans l'idée d'épouser sa tante, Miss Schumacher.

Tout à l'heure, quand j'ai expliqué qu'on était différents, mon copain et moi, j'ai un peu exagéré. En dehors de la musique, on se ressemble sur un point. Mon père est parti de la maison quand j'étais tout petit, et, lui, ses parents sont morts dans un accident l'année de sa naissance. Si vous voulez savoir pourquoi mon père n'est pas resté avec nous, demandez à M'man. Elle vous dira : « Lou ne pouvait plus supporter d'être pauvre ici, alors il est allé connaître la misère à Chicago. » Des fois, on veut changer mais, ce qu'on trouve, c'est encore plus la même chose qu'avant...

Bref, Noel est élevé par sa tante. C'est une personne maigrichonne, piquée de taches brunes comme une banane qu'on a oublié de manger et personne ne comprend pourquoi l'agent Pavageau, qui est si gros et si rouge, veut absolument l'avoir à lui tout seul.

Lorsqu'on a entendu le policier, on a fait le gros dos en espérant qu'il continuerait sa tournée.

Mais il s'est remis à hurler :

– Vous essayez de compter les grains de poussière de cette vitrine, ou quoi ? Foutez-moi le camp d'ici, petits morveux ! Pruneau, retourne à ton bocal, que ça saute, ou je t'arrête pour vagabondage sur la voie publique! Et toi, l'orphelin, tu comptes te faire entretenir toute ta vie? Va demander à ta tante si elle n'a pas besoin de toi, feignant!

Ça ne sert à rien de discuter avec un Alcide Pavageau. On a filé chacun de son côté. Au moment où on se laissait glisser de la borne d'incendie, toutefois, mon copain, caché du gros lard par la visière de sa casquette, m'a lancé un clin d'œil qui signifiait qu'on se retrouverait le lendemain au même endroit. Et le diable m'emporte (comme dit tout le temps le patron du Café Paradis), c'est exactement ce qu'on a fait.

À la sortie de l'école, Noel Beider est venu tout droit me rejoindre devant «Steve's Musicstore», où je l'attendais depuis une heure. Il a fait semblant de se fâcher.

— Leon, a-t-il ronchonné, tu triches! Tes yeux usent ce cornet beaucoup plus que les miens!

Et moi, j'ai continué comme ça :

— Noel, mon gars, si on pouvait en jouer avec les yeux, je te jure qu'ils m'auraient entendu jusqu'à New York, et c'est à l'autre bout de l'Amérique !

Il a plissé les yeux, il a regardé dans le vide.

— Un jour, a-t-il dit d'une voix rêveuse, ils nous entendront jusqu'à New York. Ça, vieux, oui, tu peux parier ta dernière chemise là-dessus !

— D'accord, mon pote, ai-je répliqué en tirant sur mon vieux tricot tout reprisé. Dès que j'aurai eu la première, j'y penserai.

Cette fois-là encore, on a ri comme des pendules détraquées. Certains jours, le bleu du dedans ressemble au bleu du ciel, et en écartant les bras, on pourrait presque s'envoler avec les mouettes.

— D'après toi, m'a demandé Noel, quand est-ce qu'on devient vieux ?

J'ai répondu :

– Mec, on est vieux quand on passe devant les vitrines d'instruments de musique sans regarder. Il y en a qui ont toujours été comme ça et d'autres qui ne le seront jamais, même lorsqu'ils se prendront les pieds dans leur barbe.

– La semaine prochaine, c'est mon anniversaire.

– Sûr ? Alors, si jamais j'ai eu ma première chemise d'ici là, je t'en ferai cadeau !

On s'est payé une nouvelle rigolade, c'est ce qui coûte le moins cher. Au fond de moi, pourtant, je savais que j'étais sérieux en disant ça.

Les jours suivants, je n'ai pas arrêté de penser à ce que je pourrais offrir à mon copain. Malheureusement, j'avais tout juste de quoi acheter un sucre d'orge, et pour ce qui était de mes vieilles affaires, elles ne valaient pas un clou. Il n'y en avait pas une seule que j'aurais pu lui donner sans qu'on ait honte tous les deux.

Le jour venu, M'man a quand même fait un énorme gâteau au chocolat et je suis allé le porter chez Miss Schumacher, en essayant d'avoir l'air le moins bleu possible.

Mais voilà, Alcide Pavageau se trouvait justement là-bas et il avait dû m'apercevoir par la fenêtre. Il est sorti de la maison comme une furie, son bâton à la main, et il m'a ordonné de déguerpir. J'ai expliqué que le gâteau était pour Noel, mais il n'a rien voulu savoir.

— Ton gâteau, aboyait-il, je m'assois dessus ! C'est un gâteau de nègre : vous avez la même couleur tous les deux ! Va le donner aux caïmans et laisse-les te bouffer par la même occasion !

J'ai vu sa main devenir toute blanche autour du bâton et j'ai su qu'il valait mieux partir. Mon oncle m'avait appris ça un jour que je l'avais trouvé assis sur une souche dans sa cour de derrière, le visage en sang : quand la main blanche qui tient la matraque blanchit encore, le Noir n'a plus qu'à prendre ses jambes à son cou.

L'anniversaire de Noel, il était écrit quelque part que ce ne serait pas un bon jour pour Leon. En rentrant chez nous, le cœur gros, j'ai vu à la devanture de Steve que, sur le morceau de velours rouge, il n'y avait plus que le carton, tourné du côté où rien n'était écrit.

Quelqu'un venait d'acheter le cornet à pistons.

Chapitre 2

Une perle d'or

Je me lave les mains au robinet où on fait boire les chevaux, contre le mur du Café Paradis, et je les essuie sur mon fond de culotte. Mais ma culotte est tellement sale, à force de traîner dans tous les coins, que je n'ai plus qu'à recommencer. Ça fait bien la dixième fois que je me passe les mains sous l'eau et je n'ose toujours pas le toucher. J'ai l'impression qu'à l'instant où je

poserai ma main dessus, je recevrai une
décharge électrique qui m'enverra valdin-
guer de l'autre côté de Canal Street.

Noel Beider ne se moque pas de moi.
Il comprend ce que je ressens. Il ne veut pas
me brusquer. Il me sourit, tout timide.
Pourtant, il devrait être fier, il devrait me
regarder de haut. Mais non : il a l'air gêné,
au contraire. Au fond, il est comme moi, il
n'arrive pas à y croire. Peut-être veut-il me
voir prendre le cornet pour être sûr qu'il
ne rêve pas. Pour ça, et aussi pour que j'aie
moins de peine.

Mais il se trompe : je n'ai pas de peine. Je
n'ai pas envie de rire et de danser non plus,
remarquez bien. Ce que j'éprouve, ça ne
peut pas s'expliquer.

Quand mon copain s'est avancé, le cornet
serré sous son bras, j'ai eu la même impression que si le Bon Dieu m'avait mis la main

sur l'épaule, et je suis resté pétrifié, les yeux grands comme des soucoupes, incapable de dire un mot. La surprise, bien sûr, mais aussi ce mélange de terreur et d'émerveillement...

Vous ne devinerez jamais. Moi-même, j'ai encore du mal à m'y faire. Voilà toute l'histoire : pour son anniversaire, Miss Schumacher et Alcide Pavageau avaient annoncé à Noel qu'ils allaient se marier bientôt, puis l'agent de police lui avait tendu quelque chose qu'il cachait derrière son dos depuis que mon copain était entré dans la pièce – et c'était le cornet ! Notre cornet, parfaitement ! Celui-là et pas un autre. Noel avait posé son cadeau sur un coin du buffet et il l'avait admiré toute la soirée. Il s'attendait si peu à ça qu'il n'aurait pas pu avaler une miette du gâteau, en admettant qu'Alcide m'ait laissé le lui donner. Plus tard, il avait emporté l'instrument dans sa chambre et il avait continué de le regarder, exactement comme je l'aurais fait moi-même. Résultat : il n'avait pas fermé l'œil de la nuit. Vous croyez qu'il aurait au moins posé ses lèvres sur l'embouchure ? Non, M'dame ! Non, M'sieur ! Mon copain voulait qu'on soit ensemble pour l'essayer, puisqu'on avait cru ensemble qu'il ne serait jamais à nous. Et puis, m'avait-il avoué en baissant les yeux, il voulait que je sois le premier à jouer dedans.

Il va quand même falloir que je me décide un jour ou l'autre. Prêt ? Je respire un bon coup, je retiens mon souffle, je ferme les yeux à tout hasard, je tends la main... et avant de savoir ce qui m'arrive, Seigneur Tout-Puissant, je le tiens !

Ou plutôt, c'est lui qui me retient, qui m'empêche de me sauver à toutes jambes.

Ah ! mes amis, je suis agrippé à ce sacré cornet comme si l'ouragan soufflait sur Canal Street et que le seul moyen de ne pas être emporté dans le Mississippi, c'était de m'accrocher à lui de toutes mes forces.

Puis je me rends compte qu'on est au mois de mai, qu'il n'y a pas un poil d'air, qu'il fait même une chaleur étouffante. Je me trouve plutôt idiot et, peu à peu, j'arrive à me dominer.

Je n'ai plus peur. Tout ce qui me préoccupe, c'est de ne pas rater mon coup. Le cornet à pistons, il ne se laisse pas faire comme ça. Avec toutes ses courbes, il vous attend au virage.

J'entraîne mon copain vers l'entrée du Café Paradis, devant la pancarte où sont épinglées les photographies du spectacle. En haut à gauche, il y en a une qui représente Buddy Joe en train de jouer. Buddy Joe, c'est le cornettiste dont je vous ai parlé, le meilleur de tous, le roi du piston. Et si vous ne me croyez pas, sachez que, dans toute la ville, on ne l'appelle que « King[1] Buddy Joe ».

Cette photo, j'étais sûr de la connaître par cœur, mais je la découvre tout à coup comme si je ne l'avais jamais vue de ma vie. C'est que cette fois, moi aussi, j'ai un cornet à la main ! Je disposerais d'une loupe que je n'observerais pas avec plus d'attention comment Buddy Joe pince les lèvres, comment il gonfle les joues, comment il place ses mains autour de l'instrument (les doigts de la main droite, surtout) et de quelle façon il pose le haut de l'embouchure dans le petit creux, à l'endroit où la lèvre supérieure se divise en deux moitiés. Si j'arrive à faire tout pareil, peut-être que le cornet reconnaîtra en moi un

1. Roi.

ami et qu'il acceptera de chanter un tout petit peu... Ça n'en finit pas, tellement je m'efforce de faire les choses comme il faut. Mais allez donc prendre la pose, avec les yeux au ciel, tout en continuant de lorgner le modèle...

Noel Beider vient à mon secours.

Il recule d'un pas, ferme un œil pour mieux juger de l'effet et me donne les directives : « Plus bas ! Non, plus haut ! Lève la tête ! Baisse la tête ! À gauche, le menton ! À droite ! Comme ci ! Comme ça ! »

Il n'y a pas de raison d'en voir le bout. Alors, sans crier gare, en me prenant moi-même par surprise, j'abaisse le piston du milieu et je vide dans l'embouchure, en une seule fois, tout l'air que j'ai dans le corps, au point de m'en faire éclater les tempes.

Et savez-vous ce qui sort à l'autre bout ? Une note ! Une vraie note ! Une vraie de vraie de sacrée vraie note de musique ! Toute ronde, étincelante comme une grosse perle en or, mais plus légère qu'une bulle de savon...

Elle a flotté un instant devant nos yeux, au-dessus de nos têtes. Je la voyais. Je jure que je pouvais la voir ! Puis elle s'est élevée, elle s'est envolée, majestueusement, et elle est allée mourir au milieu des fils électriques, mais d'une mort paisible, belle et heureuse, qui ressemblait à une apothéose.

Ensuite, j'ai eu la sensation que c'étaient mes semelles qui se détachaient du sol et que je voguais sur une espèce de brouillard. Mon copain me dévorait des yeux, bouche bée, comme s'il voyait le Messie.

Je lui ai rendu le cornet.

– À ton tour, ai-je dit d'une voix si bizarre que je l'ai à peine reconnue moi-même.

Il hésitait.

– Tu crois ?

– Et alors ! Qu'est-ce que ça veut dire ?
Il ne va pas te mordre, non ?

Il n'avait pas l'air d'en être si sûr que ça.

J'ai dû insister, comme si le cornet avait
été mon cadeau et non pas le sien.

Je n'en revenais pas : est-ce qu'il existait
quelque chose de plus chouette au monde
que de fabriquer une de ces bulles de savon
dorées ? Finalement, il s'est résigné.

Ah ! ça n'a pas été une petite affaire. Cent
fois pire qu'avec moi ! Il s'y est repris je ne
sais combien de fois. Je lui ai donné plus
de conseils que si j'étais King Buddy Joe en
personne. Et finalement, il a soufflé aussi fort
qu'il a pu, mais tout ce qu'on a entendu,
c'était le pfuuuui d'un pneu qui se dégonfle ;
et encore, ça n'a pas duré très longtemps.

Mon copain n'a pas voulu recommencer.
Il a tourné la tête et il a regardé un réverbère,

sur le trottoir d'en face, un réverbère comme il y en a des centaines à La Nouvelle-Orléans. Je voyais bien qu'il était plus bleu qu'il l'avait jamais été, mais je ne savais pas quoi dire. J'étais gêné parce que, moi, je venais de vivre le plus beau moment de toute mon existence et qu'il avait assisté à mon triomphe.

Pourtant, son regard est revenu vers moi. Il a tiré sa casquette sur son front d'un coup sec et il m'a dit avec un large sourire, en me fourrant le cornet dans les mains :

— Joue, Leon. Joue-m'en encore une, s'il te plaît.

Qu'auriez-vous fait à ma place ? Qu'auriez-vous fait si votre meilleur, votre seul copain vous l'avait demandé comme si c'était le plus grand service que vous puissiez lui rendre ?

Cette fois, je n'ai pas eu besoin d'examiner la photo. Le cornet à pistons et moi, on savait ce qu'on avait à faire. Et il en est sorti une autre note, encore plus ronde, encore plus moelleuse, encore plus ensoleillée que la première...

C'est le moment qu'a choisi Alcide Pavageau pour quitter le salon de coiffure, tout luisant de gomina et rasé de si près qu'il avait l'air d'un cochon bouilli. Quand il m'a vu avec l'embouchure sur les lèvres, il a failli avoir une attaque. Ce qu'il m'a dit, je ne peux même pas le répéter. D'abord parce que les mots se bousculaient dans sa bouche ; ensuite parce que c'était plein d'injures et de grossièretés.

J'ai tout juste eu le temps de lancer le cornet à mon pote. Alcide m'a coursé dans Canal Street jusqu'à la rive du fleuve, ce qui représente une fameuse trotte, et je ne suis rentré chez nous qu'à la nuit tombée, en prenant par les cours et les impasses, au risque de me faire mordre par un chien.

Les gens s'étaient beaucoup amusés de le voir après moi. Il y avait même un vieux type, près de l'embarcadère du ferry-boat, qui avait essayé de m'arrêter.

De tout ce que l'agent m'avait crié, j'avais retenu une chose : la prochaine fois qu'il me surprendrait avec Noel, il m'arracherait la peau du dos et me traînerait devant le juge. C'est donc un crime que d'avoir un ami ?

À cause de M'man, qui n'avait pas l'air dans son assiette non plus, je me suis retenu jusqu'au moment de me mettre au lit. Mais une fois que j'ai été allongé dans le noir et que j'ai entendu, venant du Café Paradis, l'écho de la chanson si douce et si mélancolique avec laquelle, chaque soir, Buddy Joe annonçait le début du spectacle, j'ai versé en silence un océan de bleu : toutes les larmes que j'avais gardées prisonnières au fond de moi depuis le jour où j'avais compris que le noir n'est pas une couleur comme les autres.

Pendant trois jours je n'ai pas revu Noel Beider. Je me suis baladé, en évitant avec soin le secteur d'Alcide Pavageau. J'ai bricolé par-ci par-là, pour tuer le temps. Je me fichais bien de ce qu'on m'offrait en échange de mes services, à présent : piécettes de cuivre ou simple louche de mélasse. Je ne serais sans doute jamais musicien – et puis après ?

Il y a des tas de choses qu'un homme ne sera jamais si le Bon Dieu ne lui a pas donné la bonne peau.

J'ai essayé d'oublier mon copain. J'ai essayé d'ôter son image de mon esprit et de mon cœur. Plus je m'y efforçais, cependant, plus cette image devenait vivante. Au point qu'une ou deux fois, j'ai cru que Noel me parlait et je lui ai répondu tout haut, alors que je marchais seul par les rues.

Et puis, le quatrième jour, un dimanche, M'man me secoue pour me réveiller. Je fais la grasse matinée parce que la veille au soir, jusqu'à deux heures du matin, j'ai aidé mon oncle à mettre en bouteilles le whisky qu'il fabrique avec son alambic clandestin. (Et je ne devrais pas le dire, parce que j'ai promis de n'en parler à personne, mais il m'en a donné à boire le fond d'une tasse.)

– Le jeune monsieur Beider demande après toi, me dit M'man.

Naturellement, je refuse de la croire, mais hop! elle le fait entrer dans le cagibi où je dors tout nu sous une vieille couverture de soldat.

Mon copain est blanc. Je veux dire tout blanc, beaucoup plus que d'habitude, et pas de la même sorte de blanc. Certainement s'imagine-t-il que je lui en veux (voilà bien une idée de fou), car il n'arrive pas à me regarder en face. Il serre contre sa poitrine un sac de gros papier brun dont dépasse le pavillon du cornet.

— Leon, bredouille-t-il, tu es mon pote. Tu es mon pote, n'est-ce pas ?

Je fais signe que oui.

— Alors tu dois me faire plaisir : prends-le !

Il pose le sac sur ma poitrine à moi.

— Tu veux que je joue du cornet là, maintenant, dans mon pieu, un dimanche matin avant l'office ?

— Joue ou ne joue pas, mais prends-le, s'il te plaît, c'est à toi.

— Ce truc ? Comment ça, c'est à moi ? Tu rigoles !

— C'est toi qu'il a choisi. Un instrument de musique, c'est comme un chien : ça reconnaît son maître la première fois qu'il le rencontre.

Je tourne la tête vers le mur et remonte la couverture jusqu'à mon cou.

Le cornet glisse lentement de ma poitrine sur le lit.

— Va-t'en, Noel, dis-je. Ne te moque pas de moi aujourd'hui.

Mais savez-vous ce qu'il fait ? Il ramasse le sacré sac et il le recolle sur moi illico.

Et voilà qu'il s'esclaffe, par-dessus le marché !

— Un instrument de musique, mon petit vieux, c'est comme un chat : tu as beau essayer de le perdre, il revient toujours à la maison.

On se regarde un long moment : moi, les sourcils froncés et lui, de plus en plus hilare.

— Parfaitement, mon cher Leon Randolph Jackson, s'écrie-t-il enfin en claquant des doigts, les choses appartiennent à ceux qui savent le mieux les aimer. Et ça devrait toujours être comme ça, parole de marquis de Saint-Lafayette de Beider-Ville Dupré-Beauchamps et compagnie ! Allez, il faut que je me sauve ! Alcide mange avec nous ce midi. Il se prend déjà pour mon père, ce gros tas ! À demain, le King !

Je n'ai même pas eu le temps de lui dire merci.

Pour le reste, ça n'a pas traîné non plus. À quatre heures de l'après-midi, j'étais capable de jouer sans erreur la moitié de la chanson bleue qu'aimait tellement Buddy Joe. À cinq heures, l'agent Pavageau faisait irruption chez nous, son pistolet à la main, m'accusait de vol, obligeait M'man à se tenir tranquille et voulait m'embarquer au poste. Comme je ne me laissais pas faire, il a essayé de m'assommer.

Tout ça n'aurait rien été si, en défendant mon cornet, je ne l'avais pas cogné contre la crosse du pistolet. On a récolté chacun une bosse, le cornet et moi.

Mais la sienne, sur le pavillon, là où ça se remarque le plus, elle n'était pas près de disparaître...

Chapitre 3

En maison
de redressement

Le lundi matin, après une nuit dans la cage où mon oncle a laissé ses initiales partout, on me conduit au tribunal au milieu des ivrognes du samedi soir et des voyous qu'on ramasse, le dimanche à l'aube, lorsqu'ils sont en train de faire les poches des ivrognes au fond des ruelles.

Un homme a crié le nom du juge lorsqu'il est entré dans sa robe noire : Wilfried C.

Norton. Il n'a pas l'air d'un mauvais cheval, ce juge. Il écoute patiemment ce que les accusés ont à dire pour leur défense, il plaisante avec eux, puis, comme il faut bien passer au suivant, il leur fait choisir entre une amende – cent dollars, deux cents, cinq cents, trois mille – et la peine de prison maximum. Avant moi, personne ne s'est encore décidé pour l'amende.

Arrive mon tour. Wilfried C. Norton hoche la tête en m'apercevant et m'adresse un sourire large comme le Mississippi. Il se penche pour comprendre ce que je raconte, mais je suis si ému, si révolté, si malheureux à cause de la bosse sur mon cornet que ça sort tout embrouillé. Alcide intervient alors et explique les choses très posément. Tout paraît si clair que, même moi, je finirais par croire qu'il dit la vérité.

Sauf que, d'après lui, je suis une sorte de bandit sans foi ni loi, qui aurait fait les quatre cents coups avant de s'emparer du cadeau de douze dollars vingt-cinq que lui, agent Pavageau, matricule 907, venait justement d'offrir à un orphelin, quasiment son futur beau-fils comme qui dirait.

Le juge me demande pourquoi j'ai volé le cornet à pistons.

— Parce qu'il est à moi ! que je crie. Et lui, là, il a essayé de me le reprendre !

Ça fait rire tout le monde.

Wilfried C. Norton allume sa pipe et me dit :

— Mon petit gars, on a omis de t'inculquer la différence entre le bien et le mal, à ce que je vois. Mais là où je vais t'envoyer, tu auras tout le temps de combler cette lacune.

Lacune, je ne sais pas ce que ça signifie, en ce temps-là. J'ouvre la bouche pour poser la question, mais le juge prend son petit marteau.

— Un an de réflexion à Bronxville, déclare-t-il. Affaire suivante !

Et il frappe sur la table avec le marteau.

Alcide et un autre policier me poussent en direction de la sortie. Je hurle à pleins poumons :

– Demandez à Noel ! Demandez à Noel Beider !

Personne ne s'intéresse plus à moi. On interroge déjà quelqu'un d'autre.

Dehors, il y a un fourgon bleu, ô Seigneur ! plus bleu que le fond du malheur. Il y a M'man, tout en larmes, que mon oncle retient par les épaules en fixant le bout de ses chaussures. Et, à dix mètres d'eux, il y a mon copain, pressé contre Miss Schumacher, qui a les narines plus serrées que si on lui avait pris le nez dans une pince à linge. Elle doit trouver que je sens la vache crevée, elle aussi.

Je ne sais plus quoi faire. Je voudrais me précipiter vers tout le monde à la fois : ma famille et Noel. De toute façon, les agents m'empêchent d'aller ici ou là. Ils m'ont saisi sous les aisselles et ils me portent vers le fourgon.

— Leon ! s'écrie M'man. Mon petit ! Mon chéri à moi !

Je la regarde, j'essaie de lui faire un sourire, et voilà mon pote qui éclate en sanglots à son tour.

— Pourquoi tu m'as fait ça ? lance-t-il d'une voix entrecoupée. Pourquoi tu m'as fait ça ?

Qu'est-ce que je lui ai fait ? Il ramasse une pierre sur la route. Il me vise, mais il tremble tellement que la pierre retombe entre nous.

Ça ne fait rien : je n'aurais pas eu plus mal si je l'avais reçue en pleine figure.

« Toi, Noel Beider, toi ! Tu te mets de leur côté ? Tu m'accuses d'avoir volé le cornet ? Toi, mon meilleur, mon seul ami, tu me renies ? Tu me trahis ? Noel, Noel ! Ce n'est pas possible ! Tu les aides à m'enfermer pour un an ? Dites-moi que ça n'est pas possible ! »

– Tu n'es bien qu'un salaud de nègre ! hurle-t-il encore en griffant la poussière avec ses souliers. Je te hais ! Je te hais !

Ce jour-là, ce jour maudit, lorsqu'ils ont refermé sur moi la porte du fourgon, j'ai vraiment cru que le Bon Dieu avait la même pipe et le même petit marteau que le juge Wilfried C. Norton.

Une heure plus tard – ou un siècle : pour moi, ça ne faisait aucune différence –, on est arrivés à Bronxville. Je n'ai pas pu lire l'écriteau, mais aujourd'hui je sais ce qui est inscrit dessus : Maison de redressement pour les enfants de couleur. La couleur, évidemment, c'est noir. Blanc, en Amérique et dans bien d'autres endroits au monde, pour un être humain, ce n'est pas une couleur : c'est un privilège.

Ai-je été malheureux là-bas ? Plus que les pierres du chemin, sans doute. Plus qu'une étoile solitaire qui s'éteint sans que personne l'ait regardée. Plus que les cornets à pistons qui ont perdu leur maître et ne peuvent pas rentrer à la maison. Plus que le bleu lorsqu'il tourne au violet. Et pourtant...

Et pourtant, je ne serais pas devenu ce que je suis si je n'avais pas incrusté mes ongles dans la peau de mes mains, trois cent trente-cinq jours durant, au pénitencier pour enfants de Bronxville. Car je n'aurais jamais connu capitaine Lewis.

Les gardiens, là-bas, tu dois les appeler « capitaine », c'est le règlement. La plupart ne sont que des brutes, qui cherchent à t'en faire baver le plus possible, comme si ça pouvait les consoler de n'être que ce qu'elles sont. Mais il y avait capitaine

Lewis. Autrefois musicien, il avait échoué à Bronxville lorsque les engagements, à force de se faire rares, ne lui avaient plus permis de manger. Il jouait aussi bien qu'avant, en réalité, mais son style n'était plus à la mode. Et sa figure encore moins.

Capitaine Lewis était un Blanc, comme presque tous les capitaines. Seulement voilà : dans sa vie d'artiste, il avait rencontré beaucoup de Noirs, musiciens comme lui, et il avait fini par trouver que la peau d'un homme, ce n'est pas ce qui lui fait faire de la bonne ou de la mauvaise musique. Il dirigeait l'orchestre de la maison de redressement.

Dès qu'un nouveau débarquait, il cherchait à savoir s'il était capable de lire une partition, ou au moins de jouer d'un instrument.

Tout d'abord, j'ai répondu que non. Je m'étais préparé à dire non à tout ce qu'ils me demanderaient. Les autres m'ont envoyé des gifles, des coups de lanière, mais lui, capitaine Lewis, il ne s'est pas formalisé. Il a penché la tête, il a souri un peu et il m'a dit :

— Je suis sûr que tu aimerais apprendre, hein, mon gars ?

— Non ! j'ai grogné.

Mais je savais que je mentais et, au fond de moi, je n'étais pas fier de me montrer si mal embouché.

Franchement, je ne sais plus de quelle façon nous sommes sortis de l'impasse, tous les deux. Une chose est venue après l'autre, je suppose. Un grand pas de son côté, un petit pas du mien... Toujours est-il que trois semaines plus tard, il connaissait à peu près tout de mon histoire, excepté la trahison de Noel (à la vérité, je n'avais pas mentionné son existence), et me donnait mes premières leçons de musique. D'abord sur le papier, puis avec le vieux clairon qui servait à sonner le réveil, la soupe et l'extinction des feux.

Ça se passait à la mi-juin. Fin juillet, c'était moi qui tenais le clairon dans les grandes occasions.

Vers cette époque, M'man a eu la permission de me rendre visite pour la première fois, avec mon oncle, et capitaine Lewis leur a dit qu'il n'avait jamais vu un gosse aussi doué que moi pour l'instrument. Puis, comme je me sentais terriblement bleu de les voir s'en aller, il m'a promis que, dès le lendemain, on vérifierait si j'arrivais à me débrouiller sur un outil plus difficile : le cornet à pistons.

Seigneur Jésus, j'en ai rêvé toute la nuit ! Je me suis vu souffler assez de bulles dorées pour remplir le ciel depuis la terre jusqu'au paradis !

Quand il a fallu montrer ce que je savais faire, j'étais fin prêt. Je ne l'aurais pas été davantage si j'avais réellement pu m'entraîner pendant que les autres dormaient.

Le cornet de Bronxville était du même genre que le clairon : décati et rafistolé. Steve en aurait demandé un dollar cinquante tout au plus ! J'en ai quand même tiré des notes bien rondes et bien chaudes – plus réussies, en fait, que celles que j'avais jouées naguère devant le Café Paradis.

La pratique du clairon avait dû améliorer mon souffle et mes lèvres.

Capitaine Lewis m'a regardé curieusement en se frottant le menton.

– Tu as le son, a-t-il murmuré comme pour lui-même. Tu as un sacré beau son...

Puis, d'une voix normale :

– Essaie voir de sortir un air, à présent. Tu n'es pas obligé d'utiliser les pistons : je t'apprendrai ça plus tard.

J'ai commencé la chanson de Buddy Joe. Depuis le dimanche où Noel Beider était venu chez nous, mes doigts n'avaient pas oublié ce qu'ils devaient faire.

Alors, je suis arrivé à la partie que je n'avais pas encore travaillée ; et je ne sais pas ce qui s'est passé : ils ont continué de s'activer sur les pistons et ils sont allés tout seuls jusqu'au bout de la chanson.

— Ce morceau-là, c'est le *Basin Street Blues*, a dit le capitaine en guise de commentaire.

Il semblait réfléchir à quelque chose. Finalement, il a retiré sa casquette d'uniforme, s'est gratté le crâne et a soupiré en regardant le ciel :

— Écoute-moi, Leon. Le son, c'est quelque chose d'aussi personnel que la voix. Ne laisse jamais personne raconter que c'est parce que tu es noir, ou natif de La Nouvelle-Orléans, ou je ne sais quoi, que tu sonnes aussi bien.

C'est seulement parce que tu es toi, petit, et que l'instrument t'a choisi. L'instrument ne choisit jamais au hasard.

Capitaine Lewis n'a pas compris pourquoi, au lieu de crier hourra ! ou de battre des mains, je baissais le nez et me renfrognais. Moi, bien sûr, je songeais à Noel, qui m'avait dit la même chose que lui au mot près, ce fameux dimanche. À Noel : mon copain qui m'avait trahi et qui me haïssait à cause de sa propre trahison. Personne sur terre ne m'avait jamais fait autant de chagrin. Même pas Alcide Pavageau. Même pas le juge Wilfried C. Norton. Pour ne pas fondre en larmes une fois de plus, je me suis juré qu'un jour, j'aurais ma revanche.

Je l'ai déjà dit : ne croyez pas que tout a été rose pour moi à la maison de redressement. Plus capitaine Lewis me chouchoutait, plus ses collègues m'en faisaient voir. Mais je ne

veux me souvenir que des bons moments.
Aujourd'hui surtout. Les visites de M'man
(en décembre, elle était partie s'installer à
la campagne, tout près de Bronxville parce
que, disait-elle, c'était devenu trop dur
de survivre à Canal Street). Les leçons de
musique. Les répétitions avec l'orchestre
dont j'allais bientôt être le principal soliste.
Et tout ce que le capitaine a fait pour moi
en plus. Savez-vous que c'est lui qui m'a
appris l'alphabet, la table de multiplication,
la division à trois chiffres, etc.? Il s'est
même arrangé pour que je sorte un mois
avant la fin de ma peine.

Le dernier soir, on s'est promenés
ensemble autour des bâtiments.

— Retiens une chose, Leon, m'a-t-il dit : tu
as l'étoffe d'un grand musicien. D'un des
plus grands de tous. Ça te fait un but dans
la vie, alors n'oublie jamais ça. Enterre-les

tous ! Tiens, on m'a parlé d'un garçon de ton âge, en ville, qui ne se débrouillerait pas trop mal non plus au cornet. Je suis sûr qu'il ne te vaut pas. Un certain Biber... Beiber ? Beider ? Beider, oui, c'est ce nom-là.

Et moi, j'ai seulement fait :

— Ah !

— Tu vas me manquer, petit, a dit capitaine Lewis.

— Capitaine, ai-je répondu, vous serez toujours avec moi dans mes pensées, désormais.

Chapitre 4

Le Pays des Rêves

J'ai dix-sept ans. Je m'appelle maintenant Leo Jackson (ça sonne mieux ainsi, non ?).

Je suis noir, que ça vous plaise ou pas, et s'il m'arrive d'être bleu, ça ne regarde personne.

Après ma sortie de Bronxville, j'ai fait trente-six métiers, pour aider M'man à joindre les deux bouts. Mais ça ne comptait pas. Dans ma tête, je savais que j'étais musicien et rien d'autre.

Dès que j'ai eu quelques sous de côté, je me suis payé un cornet encore plus pourri que celui de Bronxville. Je voulais tellement leur faire voir à tous de quoi j'étais capable que j'aurais tiré des billes d'or d'une trompette en bois, je crois bien ! Entre quatorze et seize ans, je me suis taillé une réputation dans tous les orchestres qui ont voulu de moi. D'abord des orphéons de village, des formations d'amateurs, puis de vrais groupes professionnels.

En Louisiane, vers 1915, ce n'étaient pas les occasions de faire de la musique qui manquaient : les bals, les soirées chics, les pique-niques, le carnaval, les défilés, les réunions politiques, les mariages, et même les enterrements !

Pour être admis dans certains endroits, il fallait que je triche sur mon âge. Peu importe ! Rien ne m'arrêtait. J'aurais joué pour le diable si ç'avait été le moyen de souffler dans mon cornet !

Et voilà qu'une information tout à fait intéressante me parvient aux oreilles. Deux ans plus tôt, King Buddy Joe, qui était plus que jamais le champion, avait quitté le Café Paradis pour se produire avec un succès phénoménal au Pays des Rêves, le dancing blanc le plus coté du haut de la ville. Or, le King s'apprête à boucler ses valises pour se rendre à Chicago, devenu entre-temps la nouvelle capitale de la musique. Les patrons du Pays des Rêves vont organiser un concours entre les cornettistes pour choisir son remplaçant. Je ne vais pas rater ça : même sur le journal, on affirme que je suis le meilleur de ma génération.

J'avais joué à travers tout l'État, au Texas, en Californie aussi, mais je n'étais jamais revenu à La Nouvelle-Orléans depuis que le fourgon m'avait emmené.

Apparemment, les choses n'ont pas beaucoup changé en mon absence.

Arrivé au dancing, je constate qu'on n'est pas plus d'une demi-douzaine à briguer la succession de Buddy Joe. Je suis le seul Noir. Et d'ailleurs, tous les musiciens de l'orchestre qui va nous accompagner sont des faces de craie.

L'un des autres candidats se détache du groupe et s'avance vers moi, le sourire aux lèvres, la main tendue. Il me faut bien trente secondes pour reconnaître Noel Beider. Évidemment, on avait pas mal grandi, tous les deux ! Un gars, ça se transforme plus rapidement qu'une ville. Ce que j'ai reconnu d'abord, en fait, c'est le cornet qu'il tenait à la main – à cause de la bosse.

Donc, voilà ce faux jeton qui me fait risette, gna-gna-gna, comme si rien ne s'était passé. Il attend peut-être que je coure l'embrasser sur les deux joues ! Au regard que je lui lance, plus glacé que toute la banquise, il comprend qu'il n'a pas affaire à une girouette. Non, mon petit père, on ne joue pas deux fois de suite à Leo Jackson le coup du Blanc-gentil-avec-les-Nègres !

Il hésite. Il devient tout pâle. Il s'arrête à mi-chemin, comme le caillou qu'il m'a jeté jadis. S'il avait insisté, je l'étendais pour le compte ! D'ailleurs, on nous appelle sur scène pour commencer les auditions. Cet hypocrite m'a mis dans une telle rogne avec son manège que je suis décidé à écraser tout le monde, quitte à m'en décoller la cervelle du crâne et à m'en faire sauter les poumons !

Le tirage au sort me désigne pour passer le dernier, juste après Noel. Sans être méchant, je peux dire que les cinq types qui nous précèdent n'ont besoin d'être écrasés par personne : ils sont si médiocres qu'ils s'en chargent eux-mêmes.

Lorsque arrive le tour du satané Beider, c'est une autre paire de manches. Il ne s'en tire pas trop mal, je dois l'admettre. Et même plutôt très bien, ce qui ne réussit qu'à m'exaspérer davantage. Je suis remonté à bloc au moment où c'est à moi de passer.

– *Basin Street Blues,* gentlemen ! dis-je aux types de l'orchestre.

Et là, j'éclate. J'explose. Je me sors les tripes, pour employer l'expression consacrée. Je suis un feu d'artifice à moi tout seul. Si je voulais, par la seule puissance de mon souffle, faire crouler les murs de la baraque, je ne m'y prendrais pas autrement.

Quand je termine, sur une note haut perchée qui, j'en suis sûr, traverse le toit et va se perdre dans les nuages, le batteur est si enthousiasmé qu'il jette ses baguettes en l'air et pousse un vrai cri de loup : «Waouou-ou-ououououououou!» Je n'ai pas un coup d'œil pour Noel Beider. Je me tourne vers les patrons du dancing, attendant leurs félicitations et les propositions de contrat.

Mais ces deux Blancs, debout au pied de l'estrade, secouent la tête et froncent le nez.

– Ici, grommelle l'un d'eux, tu es dans une maison respectable, pas dans un cirque ni dans un beuglant pour négros. Qu'est-ce que tu espères : faire sauver les clients ?

Derrière moi, les autres musiciens le traitent de tous les noms entre leurs dents, mais ça ne peut rien changer.

Le pire pour moi, c'est que le Pays des Rêves a choisi Noel. J'ai remballé mon cornet et je suis sorti sans saluer personne. Ou plutôt, je me suis sauvé. Je ne voulais surtout pas que ce damné Beider voie ma figure.

Dans le hall du dancing, je me suis mis à courir. Quelqu'un m'a saisi par le bras pour m'obliger à m'arrêter. J'étais prêt à lui balancer mon instrument dans les gencives quand j'ai reconnu le King en personne.

— Où vas-tu comme ça, petit ? m'a-t-il demandé de sa voix grave, cette voix chaude et profonde qui ressemblait à celle de son instrument.

Je n'ai pas su quoi répondre.

— Ils n'ont pas voulu de toi, hein ?

J'ai baissé le nez.

— Non, M'sieur.

— Et tu t'inquiètes pour ça ? Écoute un peu, fils : leur audition, c'était du tape-à-l'œil ; ils n'auraient pas pris un Noir, de toute façon. Un seul leur a suffi. Et je vais te dire une bonne chose, puisque j'ai été celui-là : remercie le ciel, petit ! Rends grâce au Seigneur Tout-Puissant. Ce Pays des

Rêves, pour nous autres, c'est le royaume du cauchemar. Mais tiens-toi un peu tranquille, bon sang ! Tu frétilles comme un poisson au bout d'une canne à pêche ! J'ai tout entendu. J'étais là, dans le hall. J'ai entrouvert la porte. Avec toi, remarque, ça n'était pas vraiment nécessaire ! Qui t'a appris à jouer de cette façon ?

– Capitaine Lewis de Bronxville, King, et puis vous...

– Moi ? Je ne pense pas que j'aie quoi que ce soit à t'apprendre, jeune homme ! Qu'est-ce que tu fais ce soir ?

– Ce soir ? Je retourne chez moi.

– Qu'est-ce que tu dirais de prendre le train pour Chicago ?

– Chicago, M'sieur ?

Cette ville-là, il y a des années que j'ai envie de la connaître. Il m'est souvent arrivé de rêver que je me promenais dans les rues de Chicago et que je me liais d'amitié avec un homme qui, plus tard, se révélait être mon propre père, parti de La Nouvelle-Orléans quand je marchais encore à quatre pattes.

— Chicago, oui ! répète Buddy Joe. Je compte faire pas mal de bruit là-bas, comme qui dirait. Un deuxième cornet ne serait pas de trop dans ma formation.

Je sens ma mâchoire qui dégringole sur mon plastron.

— Vous voulez dire... ?

— C'est oui ou c'est non ?

Comparé au mien à cet instant, le cri de loup du batteur n'avait été qu'un vagissement d'agnelet.

Pour faire du bruit à Chicago, on a fait du bruit, je vous le promets ! Dans la ville entière, il n'était question que de nous. Avec le King, j'ai enregistré mes premiers disques. Les gens se les arrachent encore aujourd'hui, cinquante ans après ! Le seul ennui, c'était que Buddy Joe commençait à se faire vieux, alors que moi, je progressais tous les jours. Insensiblement, je suis devenu la vedette de l'orchestre. Au début, il s'est montré fier de moi. Puis, des malveillants comme on en trouve partout se sont mis à lui parler dans mon dos et à exciter sa jalousie. Il m'a accusé d'être le pire des ingrats, de le débiner, de le trahir. Trahir un ami, moi ? Là, il tombait vraiment mal. Je l'aimais bien, mais je lui ai tourné le dos sans un regard en arrière. Et après mon départ, hélas ! les choses ne se sont pas très bien passées pour lui.

Très vite, son orchestre s'est fait supplanter par celui de Clifford Webster, dont le meilleur soliste n'était autre que... Noel Beider.

Clifford Webster projetait d'aller s'établir à New York, parce que, maintenant, c'était là-bas qu'on pouvait se faire un nom dans la musique. Il cherchait des cracks pour l'accompagner, de manière à épater les New-Yorkais lorsqu'il se produirait devant eux.

Je me suis dit qu'enfin je tenais ma vengeance. Il n'avait pas besoin d'un cornet, puisque Noel faisait partie du groupe et se débrouillait très bien. Mais je me suis arrangé avec son manager, qui avait produit les disques du King et qui m'appréciait beaucoup, pour passer quand même une audition.

La tête de mon ancien ami quand j'ai grimpé sur l'estrade, je ne peux pas vous la décrire, parce que je ne lui ai pas fait l'aumône d'un regard. Et aussi parce qu'il y avait au fond de la salle un vieux Noir bancal qui agitait un balai et qu'une force obscure me poussait à ne pas lâcher des yeux.

Avec sa petite moustache pointue et ses jolis cheveux blonds pleins de crans, Clifford Webster n'arrêtait pas de se moquer de lui.

— Eh ! Lou, qui c'est qui traîne l'autre, du balai ou de toi ?... À quoi bon un balai, Lou ? Si tu te contentais de marcher sur la tête ?

Quelque chose m'empoigna le ventre. La colère, encore une fois ! La colère qui allumait dans mes entrailles un brasier dont les flammes allaient jaillir de mes lèvres. Tant mieux ! J'avais besoin de ça pour me surpasser. Même si je savais déjà qu'après avoir humilié Noel Beider devant son chef et ses camarades, je n'accepterais jamais, fût-ce en échange d'une fortune, de travailler pour un sale type tel que ce M. Webster.

Dans aucun de mes disques, même les plus célèbres, vous ne pouvez m'entendre interpréter *Basin Street Blues* avec autant de passion que je l'ai fait ce jour-là.

À la seconde précise où j'écartais l'embouchure de mes lèvres en sang, le vieux Lou, qui s'était approché de l'estrade, a lâché son balai pour m'applaudir et le manche est allé frapper le bord d'un guéridon sur lequel Webster avait déposé sa montre et ses gants. Sous le choc, la montre est tombée par terre et le verre s'est pulvérisé.

L'instant d'après, le chef d'orchestre se jetait sur le vieux bonhomme du haut de la scène, cherchant à lui cingler le visage au moyen de sa baguette.

J'allais me précipiter à la rescousse quand une silhouette est passée devant moi comme un vrai boulet de canon, a percuté Webster en vol plané et lui a appris la politesse d'un direct à assommer un bœuf. Et Dieu me damne si cette espèce de forteresse volante n'était pas le neveu de Miss Schumacher, Noel Beider lui-même !

Prendre le parti de ce pauvre gars de couleur, c'était bien la dernière chose que je m'attendais à lui voir faire. Je ne savais plus où j'en étais. Je n'ai guère eu le temps de réfléchir à la question. Une armée de Blancs a surgi de nulle part pour lui tomber sur le dos. Les types de l'orchestre et moi, vous pensez bien qu'on n'est pas restés les mains dans les poches !

La bagarre était générale. Quel capharnaüm ! C'est là que tout le monde a pu voir que la jolie chevelure de M. Webster, eh bien, ce n'était jamais qu'une perruque...

Allez-vous me croire ? Voilà comment j'ai fait, à vingt-deux ans, la connaissance de mon propre père. Car le vieux Lou avait un nom complet : Lou Randolph Jackson, né dans le quartier de Canal Street à La Nouvelle-Orléans, État de Louisiane. D'ailleurs, il n'était pas si vieux que ça, mais la misère use un homme prématurément.

Ça ne s'est pas du tout passé comme dans mon rêve. J'ai compris à qui j'avais affaire avant même qu'il n'achève de prononcer son nom. Dès qu'il a vu la stupeur et l'émotion se peindre sur mon visage, il a deviné lui aussi qui j'étais, sans que j'aie eu à ouvrir la bouche. D'ailleurs, j'avais la gorge si serrée que j'aurais été en peine d'émettre le moindre son.

Alors on s'est contentés de se regarder au fond des yeux en hochant la tête, lui et moi, jusqu'à ce qu'on ait la vue brouillée. À tâtons, nos mains se sont cherchées et lorsqu'elles sont entrées en contact, je me suis agrippé à lui aussi fort que je m'étais agrippé au cornet jadis, le jour où j'avais soufflé ma première bulle d'or. Tant qu'il a vécu, on ne s'est plus quittés, mon père et moi.

Mais ce n'est pas tout. Dans la mêlée, ce jour-là, j'ai aussi retrouvé mon meilleur ami. On a parlé, Noel et moi, pendant que nous pansions nos blessures. Et le mystère s'est éclairci en un clin d'œil. Après m'avoir

conduit au poste, ce sombre dimanche,
Alcide Pavageau était retourné chez Miss
Schumacher avec notre cornet à pistons.
Il avait raconté, la main sur le cœur, qu'il
m'avait arrêté alors que j'essayais de le
revendre, que j'avais ricané en disant que
jamais je ne voudrais d'un instrument dans
lequel avait bavé un sale Blanc et, pour
finir, que j'avais jeté le cornet par terre en
voyant que j'étais découvert, exprès pour
l'abîmer – d'où la bosse. On est tombés dans
les bras l'un de l'autre. Seigneur Jésus, quel
imbécile j'avais été !

Dès le lendemain, on a monté un orchestre
à nous. Une fois qu'il a été bien rodé, on est
allés tenter notre chance à New York, nous
aussi. On avait à peine débarqué que plus
personne ne voulait écouter Clifford Webster.
Quand ils se mettent à échanger des idées à
deux cornets, Beider et Jackson, non M'sieur,

non M'dame, il n'y a pas grand-monde sur terre qui pourrait leur en remontrer, juré craché !

Notre meilleur souvenir remonte à un certain mardi soir. Notre orchestre était à l'affiche d'une salle de concerts qui, jusque-là, avait été réservée aux musiciens classiques et où l'on n'avait jamais vu un Noir, ni sur la scène ni parmi le public. Pourtant, lorsqu'ils ont ouvert le rideau, M'man était installée au premier rang, entre Papa Lou (ils vivaient de nouveau ensemble et ils habitaient à New York, dans la même rue que moi) et capitaine Lewis. J'avais envoyé un billet de train à Bronxville, exprès pour qu'il puisse venir nous entendre. Malgré le trac (ou grâce à lui, peut-être), on a joué comme des dieux. Ou comme des démons, je ne sais pas. À la fin, il y a eu un énorme silence, pendant dix secondes, vingt secondes, trente secondes...

On n'osait pas se regarder, Noel et moi. Qu'est-ce qui clochait ? Est-ce qu'ils nous avaient vraiment trouvés aussi mauvais que ça ?

Et puis tout à coup, ç'a été comme si on avait lancé une bombe dans la salle. Ils se sont mis à hurler tous ensemble. À taper des mains, des pieds. À grimper sur les fauteuils pour mieux nous faire la fête. Avec tous les chapeaux qu'ils nous ont envoyés, on aurait pu ouvrir un magasin ! Montre en main – m'a affirmé plus tard capitaine Lewis – ça a duré plus de vingt-cinq minutes...

Lorsqu'ils se sont enfin rassis, épuisés, Noel s'est approché de moi et m'a glissé à l'oreille :

— Alors, je ne te l'avais pas dit ?

— Quoi donc ?

— Qu'on nous entendrait jusqu'à New York. Tu ne te souviens pas ?

J'ai eu soixante-huit ans ce matin. On m'appelle King Jackson, et un journaliste français m'a même baptisé «le Roi des Rois». Je suis toujours noir et de plus en plus fier de l'être. Je ne veux pas vous mentir : je me sens bleu quelquefois, comme tout un chacun, avec ou sans raison. Mais j'ai appris une chose dans mon existence, et si nous étions ensemble en ce moment, je vous la jouerais sur mon cornet à pistons, plutôt que de vous l'écrire : le bleu est aussi l'une des couleurs de l'arc-en-ciel.

Si tu as aimé ce livre,
découvre cet extrait de :

Samia la rebelle

de Paula Jacques
N° 102 des Romans Je Bouquine

Chapitre 1

La dame en blanc

Par un jour vide comme une noix pourrie, je me suis assise dans le ventre de la barque et j'ai vu venir au loin la personne qui allait changer ma vie.

On était au mois d'avril. Les eaux du Nil faisaient entendre leur roulement monotone. Il faisait une chaleur à rôtir les alouettes dans le ciel, à plonger et à nager jusqu'à la rive. Et justement, sur la rive, en contrebas de la corniche, j'ai vu arriver une femme habillée tout en blanc, avec des lunettes de soleil. Un homme, portant une sacoche à l'épaule, l'accompagnait. Ils descendaient vers la berge. Là se trouvait amarré un vieux canot creusé dans un tronc d'arbre, à côté de la felouque de l'oncle Taher qui embarque des touristes, le soir.

Aucune personne sensée ne se risque sur le fleuve à l'heure la plus chaude du jour. Aussi, le manège de ces deux-là m'a intriguée. J'ai d'abord pensé à un couple d'amoureux promenant leurs fiançailles au bord de l'eau pour discuter de leur bel avenir et, si ça se trouve, se donner un petit baiser. Mais elle paraissait beaucoup plus vieille que lui. Quarante ans au moins. De plus, elle venait du monde des riches, avec une robe à l'européenne, très pincée à la taille ; lui, malgré son costume couleur kaki, la couleur des fonctionnaires, ressemblait à un fils du peuple. Il était petit, râblé, avec des mains semblables à un gigot de mouton pendu au bout de chaque bras.

Il a vu que je le regardais et il a brandi un mouchoir. Il s'est épongé le front avec rage comme s'il était en colère contre sa sueur. Puis il a fait des gestes. De grands gestes avec ses grosses mains rouges :

— Hé toi, là-bas, la fille du pêcheur, secoue tes puces ! Décroche l'ancre. Prends les rames, approche. Où est ton père ? J'ai deux mots à lui dire.

En voilà des façons ! Je me suis mise à crier moi aussi :

— Je ne décroche pas l'ancre, je ne prends pas les rames, je n'approche pas. Que voulez-vous à mon père ? Il n'a rien fait de mal. Il a travaillé toute la nuit puis il est parti au marché vendre son poisson. Il n'y a personne que moi !

— Tu mens, a dit l'homme, c'est inadmissible. Je suis officier du fisc.

Le fisc ? C'est un de ces mots qu'on ne peut entendre sans trembler. Je me suis sentie petite et seule, et j'ai pensé à ma mère dormant au cimetière du Caire, loin, très loin de moi. On dit que les morts entendent la voix des êtres aimés qui en appellent à leur protection. Mais le bruit de l'officier du fisc couvrait ma prière. Et ce que je craignais s'est produit. Le petit bonhomme a sauté dans le vieux canot et, lourdement, la dame l'a suivi. Il a attrapé les rames et, après avoir bien oscillé et manqué de tomber à l'eau, il s'est rangé le long de la barque.

— Laisse-moi monter à bord, ou tu t'en mordras les doigts. Tu m'entends, la fille du pêcheur ?

Mon petit nom est Samia, mais tout le monde m'appelle «la fille du pêcheur». C'est comme ça chez nous : une fille appartient à son père tout le temps où elle habite sous son toit. Le toit de mon père consiste en une vieille bâche tendue au-dessus d'un bateau long de sept mètres et large de trois. Ce bateau est à la fois notre gagne-pain et notre foyer. Tout ce que nous possédons est contenu à l'intérieur, entre les limites de ce fleuve où mon père, et avant lui mon grand-père, ont ouvert les yeux sur le monde.

De père en fils, les pêcheurs passent leur vie sur l'eau. Cela leur paraît normal. Autrefois, tous les hommes vivaient dans l'eau. Ils avaient des nageoires à la place des bras et pas plus de conscience que les algues et les poissons.

L'ingénieur du Nilomètre*, celui que nous emmenons parfois cueillir des jacinthes d'eau, me l'a appris. Un jour, les hommes sont sortis de la mer des origines pour conquérir la terre nourricière. Pour la meubler. De villes et de villages, de mosquées, de magasins, de cinémas. Pour élever des troupeaux, planter des arbres, ensemencer des champs. Notre champ à nous, les pêcheurs, c'est le Nil.

Les deux inconnus étaient assis dans le ventre de la barque, sous l'abri de la bâche. La dame en blanc promenait des regards étonnés sur nos ustensiles de cuisine, les vêtements et les couvertures pliés en un petit tas, à côté d'elle. Elle a enlevé ses souliers à talons et elle s'est massé les pieds. De jolis pieds pareils au ventre dodu

* Bâtiment où l'on mesure le niveau du Nil.

d'une cane blanche. L'officier en costume kaki tripotait sa sacoche. Il n'en sortirait que des ennuis, je le pressentais.

J'ai rempli une casserole avec l'eau du Nil et je l'ai posée sur le canoun*. Le paquet de thé sentait un peu le poisson, les morceaux de sucre semblaient grignotés et gris. J'ai servi le thé et nous avons bu. À vrai dire, la dame en blanc ne buvait pas. Elle tenait son bol du bout de ses doigts couverts de bagues comme si mon thé la dégoûtait. Cela m'a fait de la peine.

J'ai dit :

— L'eau du Nil est un don de Dieu, vous savez ! Le microbe ne s'y sent pas chez lui, surtout quand il a bouilli.

— Il n'y a pas pire microbe que cette engeance, a remarqué l'officier du fisc. La

*Réchaud à charbon.

crasse partout, et même pas une cuillère pour touiller son bol !

— Monsieur, s'il vous plaît, il ne faut pas juger les gens sur ce qu'ils ont ou n'ont pas, mais sur ce qu'ils sont.

— Insolente avec ça ! Tais-toi, mal polie, fille de canaille, d'ivrogne, de scélérat !

« Scélérat toi-même ! » j'ai pensé, et aussi : « Que ta langue se coupe en deux, espèce de sale fisqueux ! »

— Ça suffit, Ostaz Mahmoud, a dit la dame, laissez-moi parler à cette petite.

Elle m'a souri. Elle a ôté ses lunettes de soleil. Ses yeux plissés par les rides avaient une expression touchante de tristesse et de bonté. L'expression qu'on voit aux personnes fatiguées par les ans et qui veulent le cacher.

Elle a ouvert un cahier tout en longueur. Elle m'a posé mille questions intimes. Quel

âge j'avais ? Combien de frères et sœurs ?
Est-ce que j'allais à l'école ? Est-ce que nous
vivions à demeure sur ce bateau ? En étions-
nous les propriétaires ? Combien se vendait le
kilo de poisson ? Mangions-nous parfois de la
viande ? Des légumes ?

J'avais honte de livrer à une inconnue la
pauvreté de notre existence, mais en même
temps j'éprouvais une envie irrésistible de
dire la vérité. Jamais personne ne m'avait
écoutée de la sorte. L'air gourmand, elle
notait chacune de mes paroles. Pendant
ce temps, le fisqueux s'ennuyait. Il bâillait
sans vergogne. J'entrevoyais le fond de sa
bouche : rose et humide avec des dents poin-
tues comme un piège à renard.

— Tu es très intelligente, a conclu la dame.
Tu es aussi vive que l'hirondelle.

Elle a allumé une cigarette à bout doré en
soupirant : « Quel dommage, mon Dieu ! »

Dans la même collection

tu as aimé ce roman...

tu vas adorer

jeBOUQUINE !

Je bouquine,
bien plus
que de la lecture

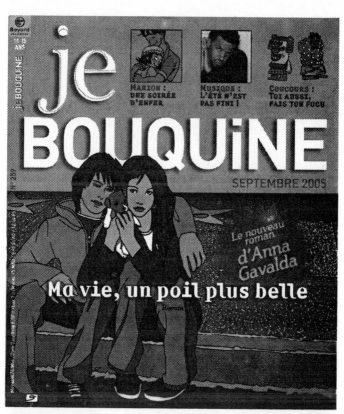

Tous les mois chez votre marchand de journaux ou par abonnement au : **0 825 825 830** (0,15€/mn)
www.okapi-jebouquine.com

*Cet ouvrage a été mis en pages
par DV Arts Graphiques à Chartres*

Impression réalisée sur CAMERON par

BRODARD & TAUPIN

GROUPE CPI

*La Flèche
pour le compte des Éditions Bayard
en janvier 2006*

Imprimé en France
N° d'impression : 33570